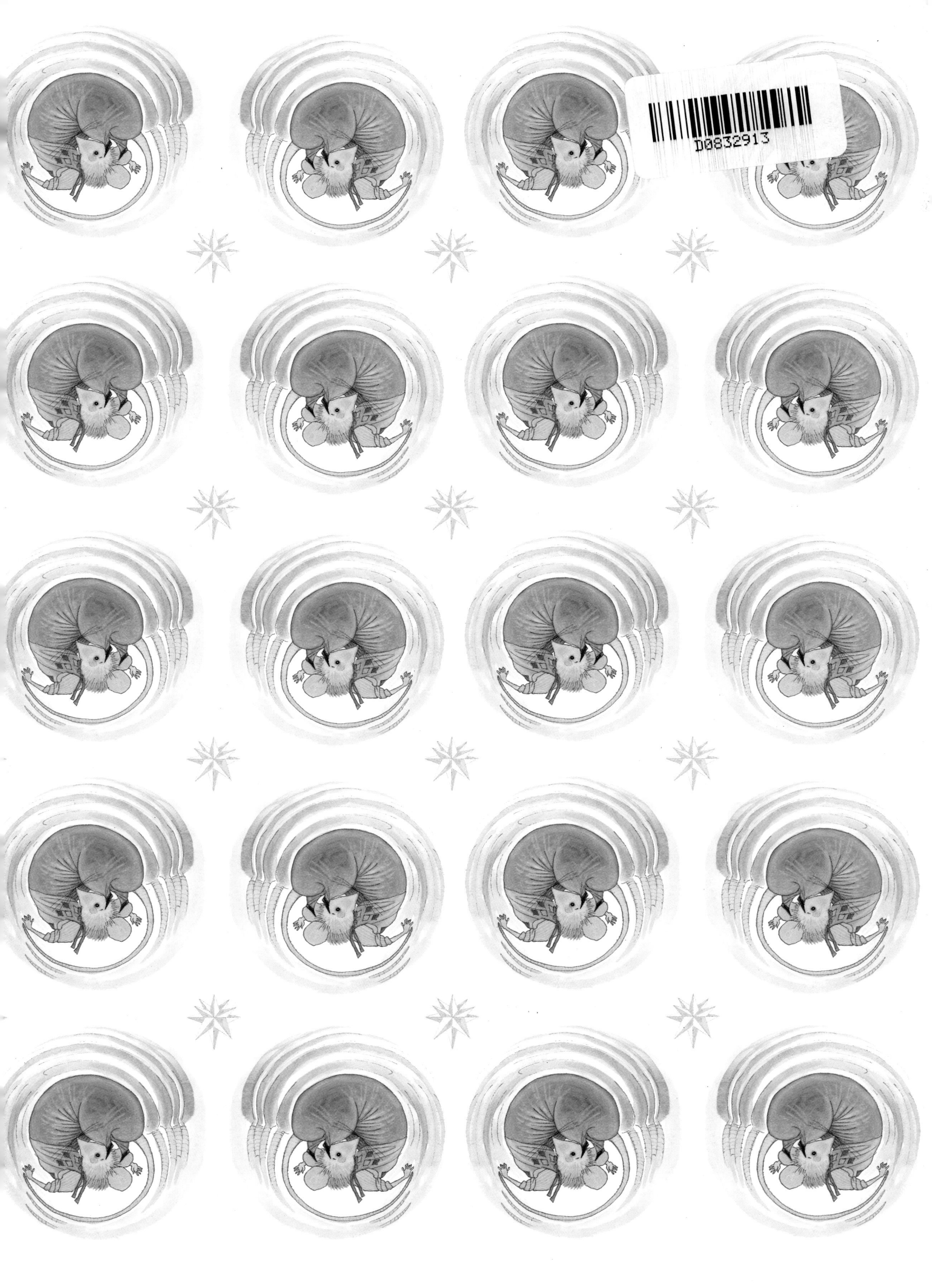
D0832913

ΜΕΤΑΙΧΜΙΟ
παιδικό

ΣΧΕΔΙΑΣΜΟΣ ΕΞΩΦΥΛΛΟΥ: Αλέξης Κυριτσόπουλος
ΠΡΟΣΑΡΜΟΓΗ ΕΞΩΦΥΛΛΟΥ: Ιωάννα Γιουντέρη
ΕΠΙΜΕΛΕΙΑ ΕΚΔΟΣΗΣ: Μαρία Κουτσιούμπα
ΓΡΑΦΙΣΤΙΚΗ ΕΠΙΜΕΛΕΙΑ – ΣΕΛΙΔΟΠΟΙΗΣΗ: Άσπα Κυριάκου
ΔΙΟΡΘΩΣΗ ΤΥΠΟΓΡΑΦΙΚΩΝ ΔΟΚΙΜΙΩΝ: Θοδωρής Τσώλης

ISBN 978-960-501-904-4
ΒΟΗΘ. ΚΩΔ. ΜΗΧ/ΣΗΣ 5904
Κ.Ε.Π. 2545 Κ.Π. 2807

1η έκδοση από τις εκδόσεις ΜΕΤΑΙΧΜΙΟ (8.000 αντίτυπα):
Οκτώβριος 2012

Εκδόσεις ΜΕΤΑΙΧΜΙΟ
Ιπποκράτους 118, 114 72 Αθήνα,
τηλ.: 211 3003500, fax: 211 3003562
http://www.metaixmio.gr
e-mail: metaixmio@metaixmio.gr

Κεντρική διάθεση:
Ασκληπιού 18, 106 80 Αθήνα,
τηλ.: 210 3647433, fax: 211 3003562

Βιβλιοπωλεία ΜΕΤΑΙΧΜΙΟ
Ασκληπιού 18, 106 80 Αθήνα,
τηλ.: 210 3647433, fax: 211 3003562
Πολυχώρος, Ιπποκράτους 118, 114 72 Αθήνα,
τηλ.: 211 3003580, fax: 211 3003581
Οξυγόνο, Ολύμπου 81, 546 31 Θεσσαλονίκη,
τηλ.: 2310 260085

ΕΥΓΕΝΙΟΣ ΤΡΙΒΙΖΑΣ

Το ποντικάκι που ήθελε να αγγίξει ένα αστεράκι

Μια χριστουγεννιάτικη ιστορία

ΜΕΤΑΙΧΜΙΟ

ΗΤΑΝ κάποτε ένας ποντικούλης που τον λέγαν Τρωκτικούλη. Ο Τρωκτικούλης ο ποντικούλης, κάθε φορά που έβλεπε τα αστεράκια στον ουρανό, ήθελε να τα αγγίξει.

– Παππού, παππούλη, έλεγε στον παππού του, σήκωσέ με, σε παρακαλώ, στα χέρια σου για ν' αγγίξω ένα αστεράκι.
– Δε γίνεται αυτό που ζητάς, καλό μου εγγονάκι, απαντούσε ο παππούς του. Τα αστεράκια είναι πάρα πάρα πολύ ψηλά. Δεν είναι καθόλου εύκολο να τ' αγγίξει κανείς.
– Μα γιατί είναι τόσο ψηλά, παππού;
– Είναι τόσο ψηλά για να μην τ' αγγίζουνε τα ποντικάκια και λερώνεται η ασημόσκονή τους.
– Εγώ όμως, παππού, μια μέρα,
να το δεις, θ' αγγίξω ένα αστεράκι.
Αλλά προτού το αγγίξω,
θα πλύνω καλά καλά
τα χεράκια μου,
για να μη λερώσω
την ασημόσκονή του.

Και τι δεν έκανε ο Τρωκτικούλης
για ν' αγγίξει ένα αστεράκι!
Έπαιρνε φόρα και πηδούσε με όλη
του τη δύναμη όσο πιο ψηλά
μπορούσε. Σκαρφάλωνε σε
σκουπόξυλα. Σκαρφάλωνε σε
τηλεγραφόξυλα. Σκαρφάλωνε
σε κεραίες τηλεόρασης.
Σκαρφάλωνε σε καμπαναριά.
Τίποτα, όμως. Όσο και να
προσπαθούσε, δεν κατάφερνε
ν' αγγίξει ένα αστεράκι.

«Ίσως έχει δίκιο
ο παππούλης» σκεφτόταν.
«Ίσως να μην τα καταφέρω
ν' αγγίξω ποτέ στη ζωή μου
αστεράκι. Αλλά, πάλι,
το θέλω τόσο, μα τόσο,
μα τόσο πολύ, που,
ποιος ξέρει, ίσως κάποια
μέρα να τα καταφέρω».

Έτσι περνούσαν οι μέρες και οι μήνες, ώσπου ένα χριστουγεννιάτικο βράδυ βγήκε ο Τρωκτικούλης από την ποντικότρυπά του, και τι να δει; Ένα στολισμένο έλατο στη μέση του σαλονιού και πάνω πάνω στην κορυφή του έλατου ένα ασημένιο αστεράκι.

Ο Τρωκτικούλης έτριψε τα μάτια του σαστισμένος, έκανε πέντε τούμπες από τη χαρά του, έκανε μπροστά, έκανε πίσω και στο τέλος έτρεξε στην ποντικοφωλιά του.

– Παππού! Παππού! ΄Ελα να δεις! ΄Ελα! ΄Ενα δέντρο φύτρωσε στη μέση του σαλονιού και στην κορυφή του έχει ένα αστεράκι.
– Είσαι σίγουρος, καλό μου εγγονάκι;
– Άμα σου λέω, παππού! Θα τ' αγγίξω! Δε μου ξεφεύγει. Θα τ' αγγίξω!

Έτσι, λοιπόν, ο Τρωκτικούλης έπλυνε οχτώ φορές τα χέρια του και αφού για καλό και για κακό σαπούνισε τα ποδαράκια του και τα μουστάκια του και την ουρίτσα του...

...άρχισε να σκαρφαλώνει στο χριστουγεννιάτικο δέντρο.

Σκαρφάλωνε, σκαρφάλωνε, σκαρφάλωνε...

Εκεί που σκαρφάλωνε, συνάντησε ένα ξύλινο στρατιωτάκι. Φορούσε φανταχτερή στολή και στη μέση του είχε ζωσμένο ένα όμορφο σπαθί.
– Γεια σου, ποντικάκι, του είπε το στρατιωτάκι. Για πού το ᾽βαλες;
– Πάω ν᾽ αγγίξω ένα αστεράκι.
– Αστεράκι; Τι νόημα έχει ν᾽ αγγίξεις ένα αστεράκι; είπε το στρατιωτάκι. Έχω να σου προτείνω κάτι πολύ καλύτερο.
– Δηλαδή;

– Να γίνεις κι εσύ στρατιώτης. Βλέπεις εκείνο εκεί το κουτί με τις κόκκινες σάλπιγγες στη βάση του δέντρου; Εκεί μέσα βρίσκονται άλλα δώδεκα στρατιωτάκια. Θα γυμνάσουμε έναν ανίκητο στρατό και θα κατακτήσουμε όλο το σπίτι. Θα κυριεύσουμε το μπάνιο και θα σπάσουμε όλες τις σαπουνόφουσκες.

Θα λεηλατήσουμε την κουζίνα και, ποιος ξέρει, μπορεί να συναντήσουμε κανέναν άλλο στρατό και να τον κατατροπώσουμε. Μετά θα κατακτήσουμε και τον υπόλοιπο κόσμο από το Πιπερού ως τη Φρουτοπία. Θα είσαι ένας δοξασμένος στρατιώτης ποντικός και όλοι θα σε τρέμουν.

– Δε θέλω να είμαι ένας δοξασμένος στρατιώτης ποντικός και όλοι να με τρέμουν.
– Τι θέλεις;
– Ν' αγγίξω ένα αστεράκι.
Έτσι ο Τρωκτικούλης συνέχισε να σκαρφαλώνει.
Σκαρφάλωνε, σκαρφάλωνε, κι εκεί που σκαρφάλωνε, συνάντησε μια κουκλίτσα. Πιο όμορφη κουκλίτσα δεν είχε ξαναδεί ποτέ του. Είχε ολόξανθα μαλλιά και φορούσε μια γαλάζια φουστίτσα.
– Γεια σου, ποντικάκι, του είπε η κουκλίτσα. Για πού το 'βαλες;
– Πάω ν' αγγίξω ένα αστεράκι.
– Και τι θα καταλάβεις αν αγγίξεις ένα αστεράκι; χαμογέλασε η κουκλίτσα. Ενώ αν αγγίξεις εμένα, αν με αγκαλιάσεις, αν με φιλήσεις, αν με αγαπήσεις, ποιος ξέρει, μπορεί να σ' αγαπήσω κι εγώ. Βλέπεις εκείνο εκεί το κουτί με το ροζ περιτύλιγμα και τη βυσσινιά κορδέλα στη βάση του δέντρου; Ε, λοιπόν, εκεί μέσα βρίσκεται ένα πανέμορφο κουκλόσπιτο με λουλουδένια ταπετσαρία στην κρεβατοκάμαρα και τοσοδούλικα σερβίτσια στην τραπεζαρία.

Θα ζήσουμε εκεί για πάντα, ευτυχισμένοι.
Θα σου τηγανίζω κάθε μέρα τυροπιτάκια και την Κυριακή θα πηγαίνουμε μαζί στο κουκλοθέατρο.

– Δε θέλω να ζήσουμε εκεί για πάντα ευτυχισμένοι, ούτε να μου τηγανίζεις κάθε μέρα τυροπιτάκια, ούτε την Κυριακή να πηγαίνουμε στο κουκλοθέατρο.
– Τι θέλεις;
– Ν' αγγίξω ένα αστεράκι.
– Καλά... Κάνε του κεφαλιού σου, να δούμε τι θα καταλάβεις, θύμωσε η κουκλίτσα.
Έτσι το ποντικάκι συνέχισε να σκαρφαλώνει.
Σκαρφάλωνε, σκαρφάλωνε, κι εκεί που σκαρφάλωνε, συνάντησε ένα ναυτάκι.
– Γεια σου, ποντικάκι, του είπε το ναυτάκι. Για πού το 'βαλες;
– Πάω ν' αγγίξω ένα αστεράκι.
– Αστεράκι; Ποιος ο λόγος ν' αγγίξεις ένα αστεράκι; Γιατί να χάνεις τον πολύτιμο χρόνο σου με αστεράκια; είπε το ναυτάκι. Έχω να σου προτείνω κάτι πολύ πολύ, μα πάρα πολύ καλύτερο.
– Τι;
– Βλέπεις εκείνο εκεί το κουτί με το θαλασσί περιτύλιγμα και την μπλε κορδέλα στη βάση του δέντρου; Ε, λοιπόν, εκεί μέσα βρίσκεται μια μπουκάλα που έχει μέσα ένα καραβάκι.

Θα σπάσουμε την μπουκάλα, θα κλέψουμε το καραβάκι, θα πάμε στο πιο κοντινό ρυάκι και θα σαλπάρουμε. Έχω εδώ στην τσέπη μου έναν χάρτη θησαυρών. Θα βγούμε στον ωκεανό και θα βρούμε

τον θησαυρό: εκατό ροζ ρουμπίνια και χίλια πράσινα σμαράγδια! Θα είσαι ο πιο εύπορος ποντικός του κόσμου, όλοι θα σου κάνουν υποκλίσεις και θα ζεις σε ένα τυριόροφο σπίτι.

– Δε θέλω να είμαι ο πιο εύπορος ποντικός του κόσμου, ούτε όλοι να μου κάνουν υποκλίσεις, ούτε να ζω σε ένα τυριόροφο σπίτι, είπε το ποντικάκι.
– Τι θέλεις;
– Ν' αγγίξω ένα αστεράκι. Πώς το λένε, ρε παιδιά; Θέλω ν' αγγίξω ένα αστεράκι! Ένα αστεράκι! Δε θέλω ούτε να γίνω δοξασμένος στρατιώτης ποντικός, ούτε να μου τηγανίζουν τυροπιτάκια, ούτε να μου κάνουν υποκλίσεις. Ένα αστεράκι θέλω ν' αγγίξω κι εγώ. Πώς το λένε; Ένα αστεράκι!
– Καλά, ντε, μη φωνάζεις. Εσύ θα το μετανιώσεις... είπε το ναυτάκι.

Έτσι το ποντικάκι συνέχισε ν' ανεβαίνει, ν' ανεβαίνει, ν' ανεβαίνει, ώσπου έφτασε στην κορυφή του έλατου. Εκεί αντίκρισε το πιο όμορφο αστεράκι που είχε δει ποτέ του. Φεγγοβολούσε και το έλουζε με μια μαλαματένια λάμψη.

Το ποντικάκι άπλωσε δειλά δειλά το χεράκι του, που το είχε πλύνει οχτώ φορές, και το άγγιξε. Το αστεράκι λες και ανάσανε. Έγινε ακόμα πιο ασημένιο, πιο ζεστό, πιο λαμπερό. Λες και το αγκάλιασε η φεγγοβολιά του, λες και το χάιδεψαν απαλά οι φωτεινές αχτίνες του με την πιο γλυκιά θαλπωρή που μπορούσε ποτέ να φανταστεί. Το ποντικάκι αισθάνθηκε τόσο, μα τόσο ευτυχισμένο.

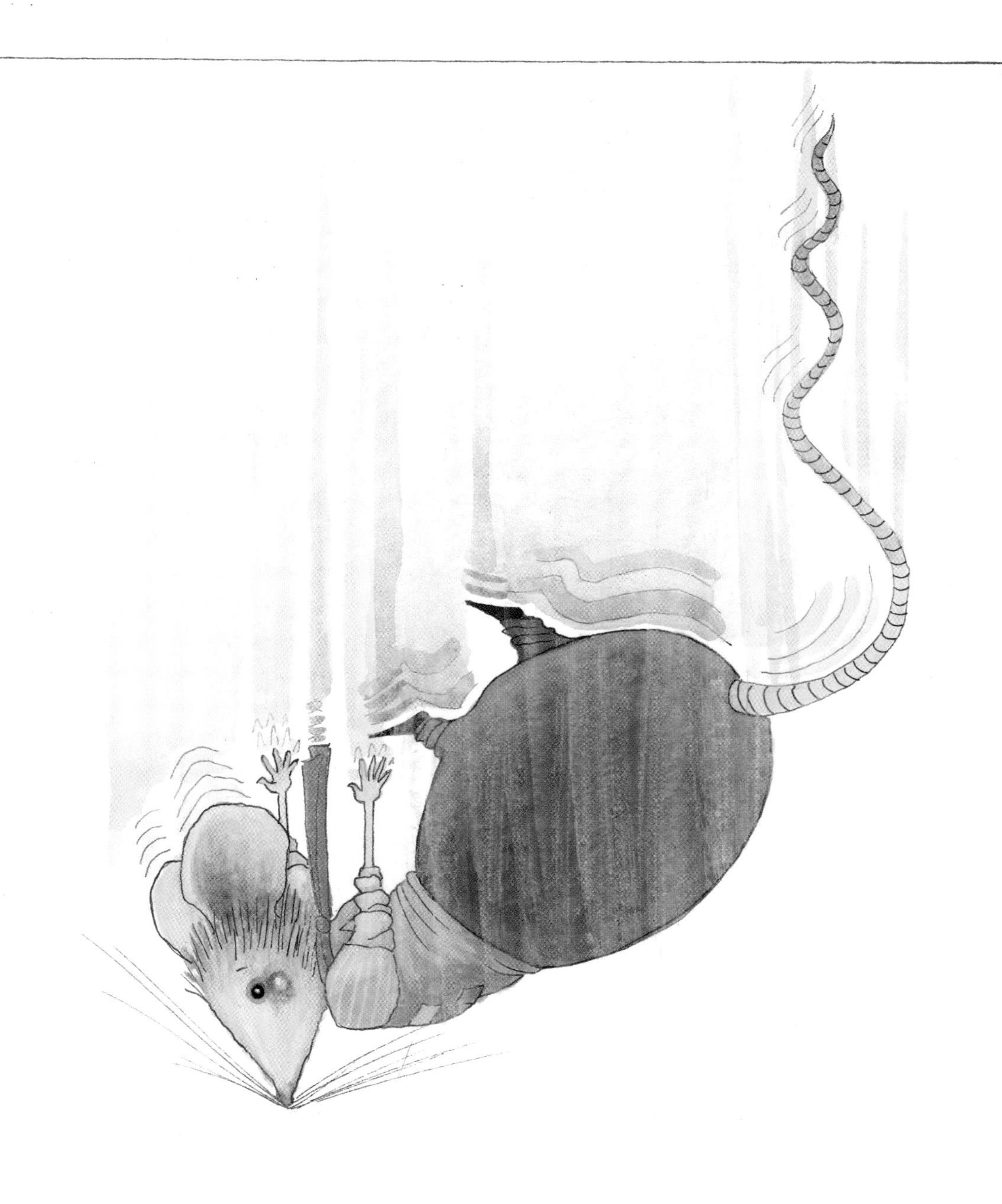

Τα μουστάκια του έτρεμαν. Τα ποδαράκια του έτρεμαν. Η ουρίτσα του έτρεμε. Έτρεμε ολόκληρο από τη χαρά του. Έτρεμε τόσο πολύ, που έχασε την ισορροπία του, έπεσε από το δέντρο και βρέθηκε ανάσκελα στο παχύ χαλί.

Μόλις σηκώθηκε, έτρεξε αμέσως στην ποντικότρυπα, για να πει τα νέα στον παππού του:
– Παππού... παππούλη! Το άγγιξα!
– Ποιο άγγιξες, εγγονάκι μου;
– Το αστεράκι! Το άγγιξα το αστεράκι!
– Μπράβο, καλό μου εγγονάκι, καμάρωσε ο παππούς. Είσαι το πρώτο ποντικάκι στην οικογένειά μας που κατάφερε να αγγίξει ένα αστεράκι. Θα 'χουμε να το λέμε...

Μετά το ποντικάκι βγήκε από την ποντικότρυπα και έτρεξε γρήγορα γρήγορα να δει πάλι το αστεράκι που είχε αγγίξει.
Αλλά, στο μεταξύ, είχε κοπεί το ρεύμα και το φωτεινό αστεράκι είχε σβήσει.
«Φαίνεται ότι γύρισε πάλι ξανά στον ουρανό!» σκέφτηκε το ποντικάκι.

Βγήκε στον κήπο και σήκωσε τα μάτια του ψηλά. Χιλιάδες, μυριάδες αστέρια στραφτάλιζαν στο απέραντο στερέωμα... Το ποντικάκι τα αγκάλιασε όλα με το βλέμμα του.
– Ποιο, άραγε, να 'ναι αυτό που άγγιξα; αναρωτήθηκε.

Τώρα όμως που είχε αγγίξει ένα αστεράκι, ένιωθε μεγάλη αυτοπεποίθηση.
«Υπάρχουν χιλιάδες ακόμα αστεράκια για ν' αγγίξω» σκέφτηκε. «Αλλά αφού τα κατάφερα μια φορά, σίγουρα θα τα ξανακαταφέρω... Θα τ' αγγίξω όλα!...»

Κι εκεί, ανάμεσα στα χιλιάδες αστέρια, ένα μικρό αστεράκι τρεμόσβηνε, λες και του 'κλεινε το μάτι, λες και του 'λεγε: «Ναι, μικρό μου ποντικάκι... Κάποια μέρα θα τ' αγγίξεις όλα...»

και τώρα η δική σου η σειρά!

Μέτρησε!

- *Πόσα πόδια έχουν όλες οι μπανιέρες μαζί;*
- *Πόσα ποντικάκια κρατάνε σαπούνια;*
- *Πόσες είναι όλες οι βρύσες στις μπανιέρες;*

Μέτρησε!

- *Πόσα είναι όλα τα αστεράκια;*
- *Από ποιο παράθυρο φαίνονται τα πιο πολλά αστεράκια και από ποιο τα πιο μεγάλα;*
- *Από ποιο παράθυρο φαίνεται ζυγός αριθμός αστεριών;*

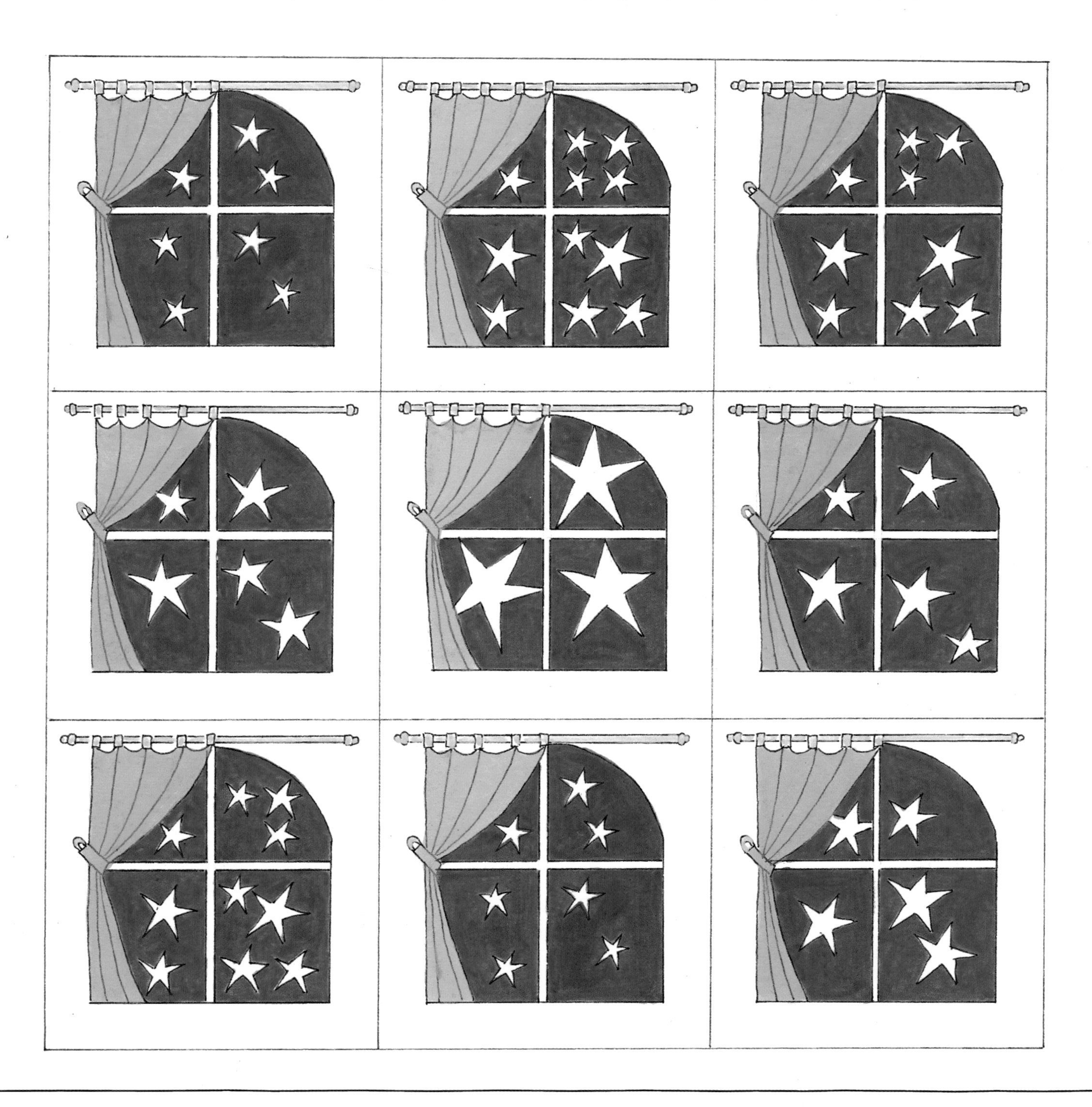

Μέτρησε!

Ποια είναι πιο πολλά;
Τα στρατιωτάκια που φοράνε καπέλο
μάγειρα ή τα ναυτάκια που φοράνε καπέλο γελωτοποιού;

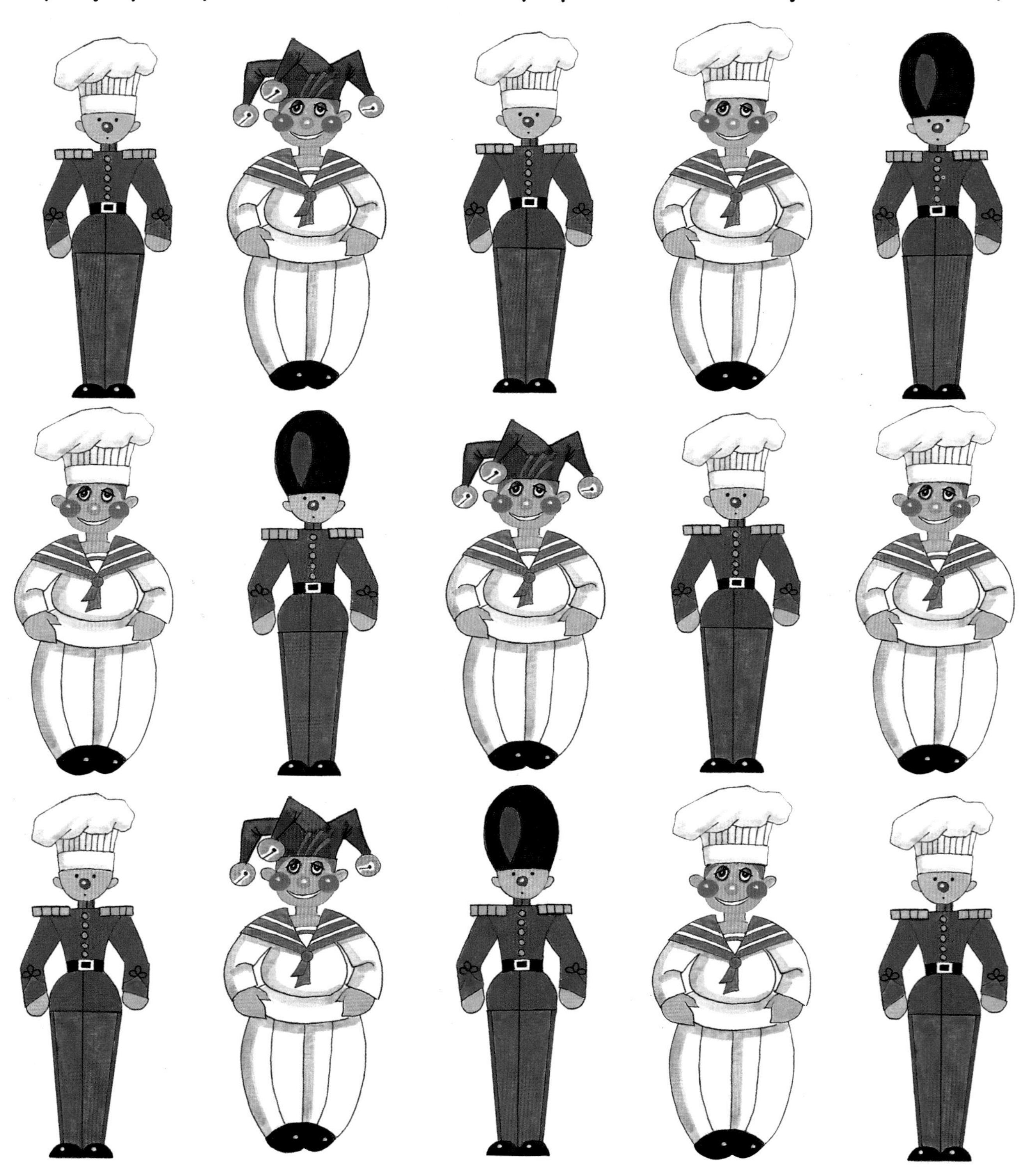

Ζωγράφισε!

Μερικά στρατιωτάκια για να τους ζωγραφίσεις καπέλο.

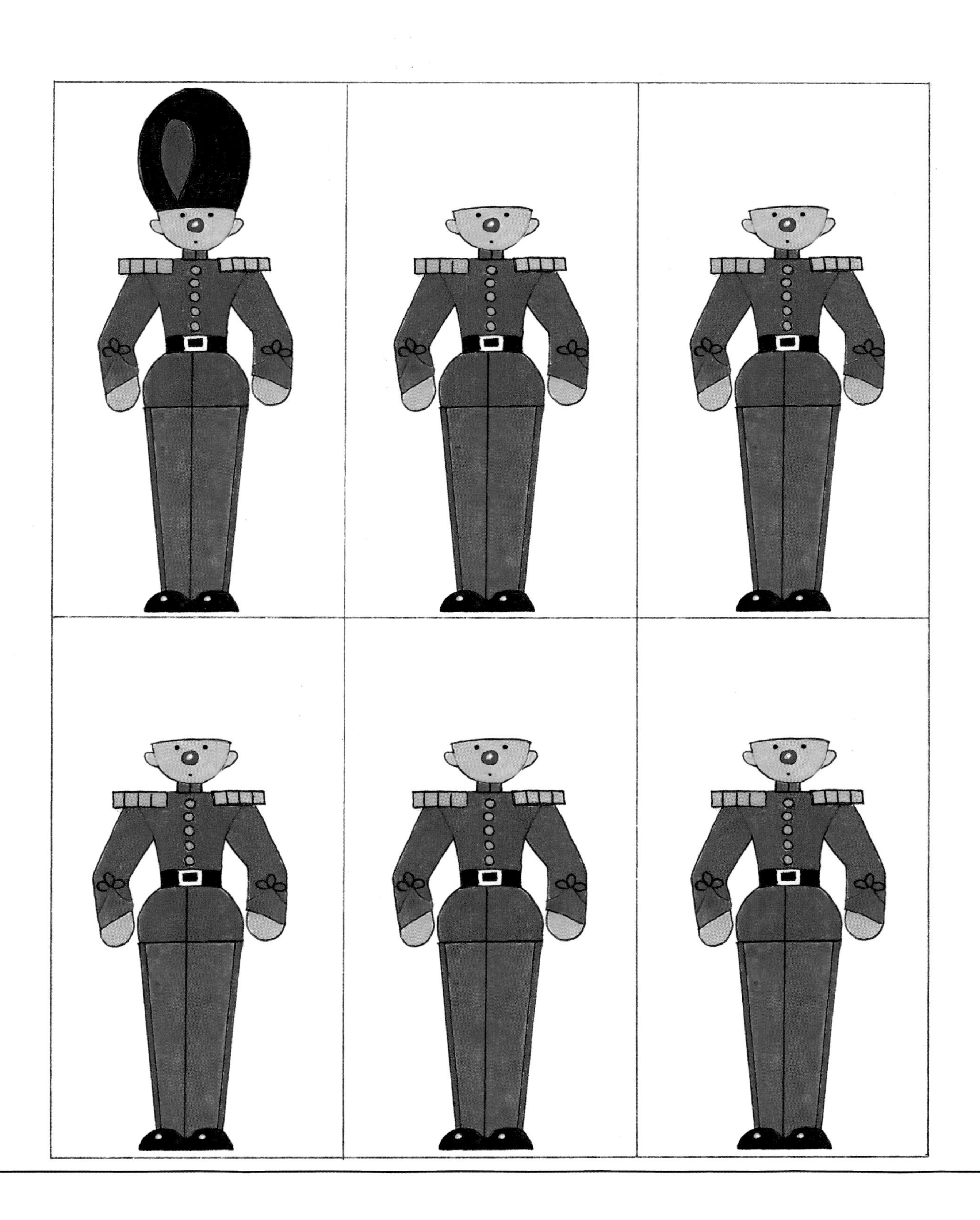

Ψάξε και βρες!

Ψάξε και βρες δύο ολόιδια κουκλόσπιτα.

Χρωμάτισε!

Χρωμάτισε τα τετράγωνα στολίδια ροζ, τα τρίγωνα στολίδια γαλάζια και τα στρογγυλά στολίδια κόκκινα.

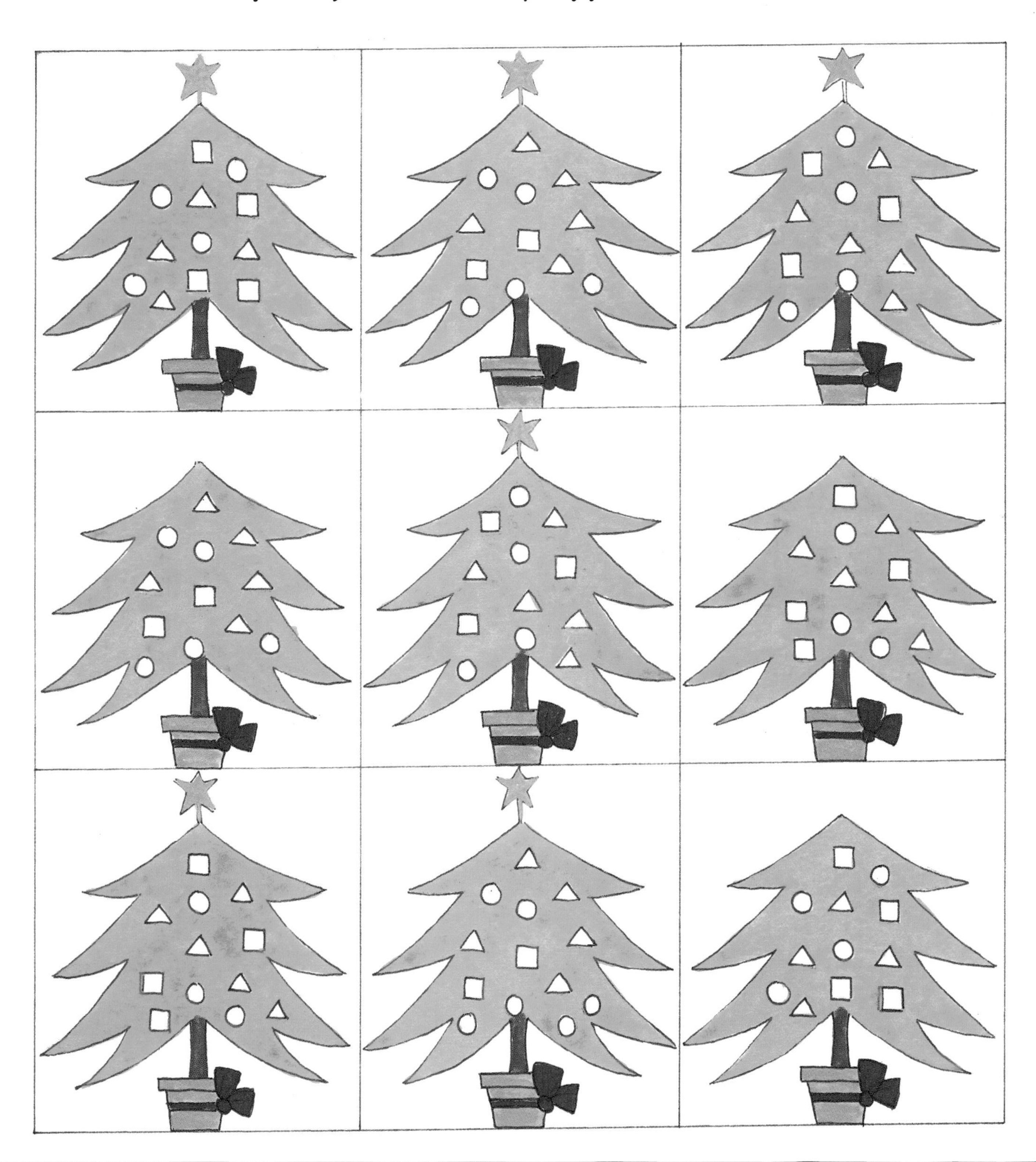

Ψάξε και βρες!

Ψάξε όλο το βιβλίο, βρες τις εικόνες
του κάθε κύκλου και σε καθεμιά που
βρίσκεις χρωμάτιζε το τετραγωνάκι της.

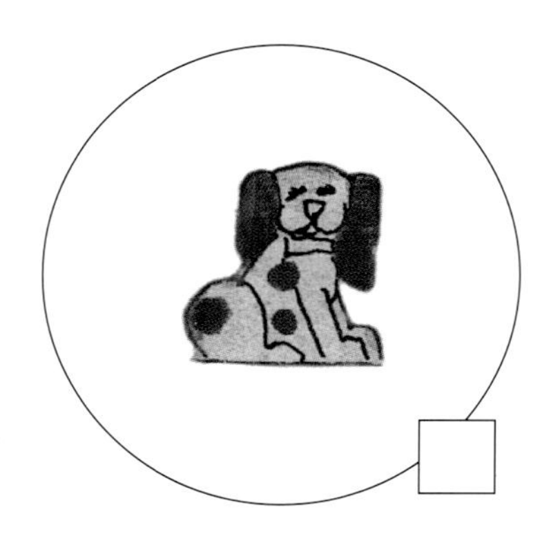

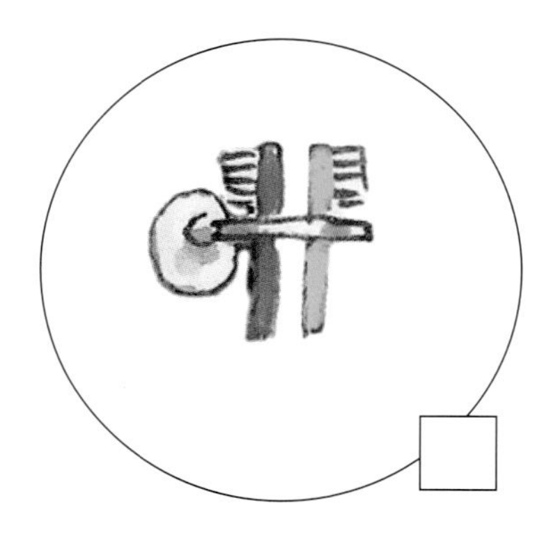
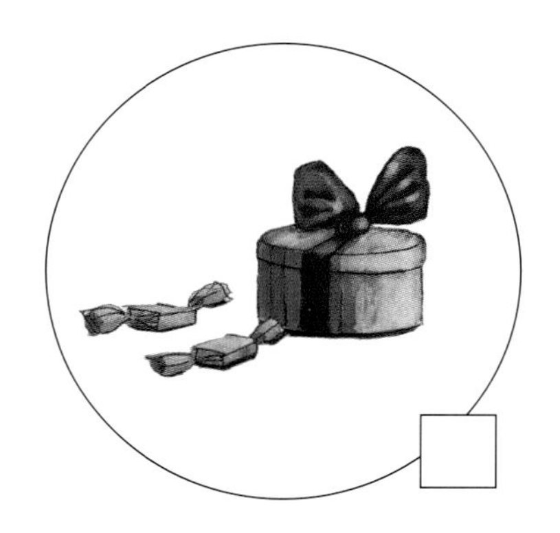

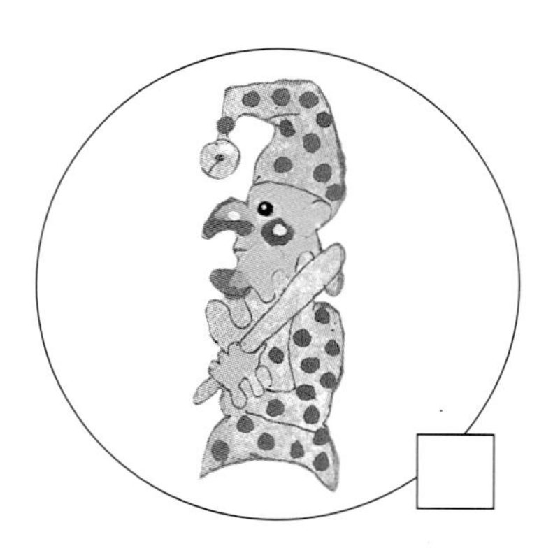

Χρωμάτισε!

Βρες δυο ολόιδια στρατιωτάκια
και χρωμάτισέ τα.

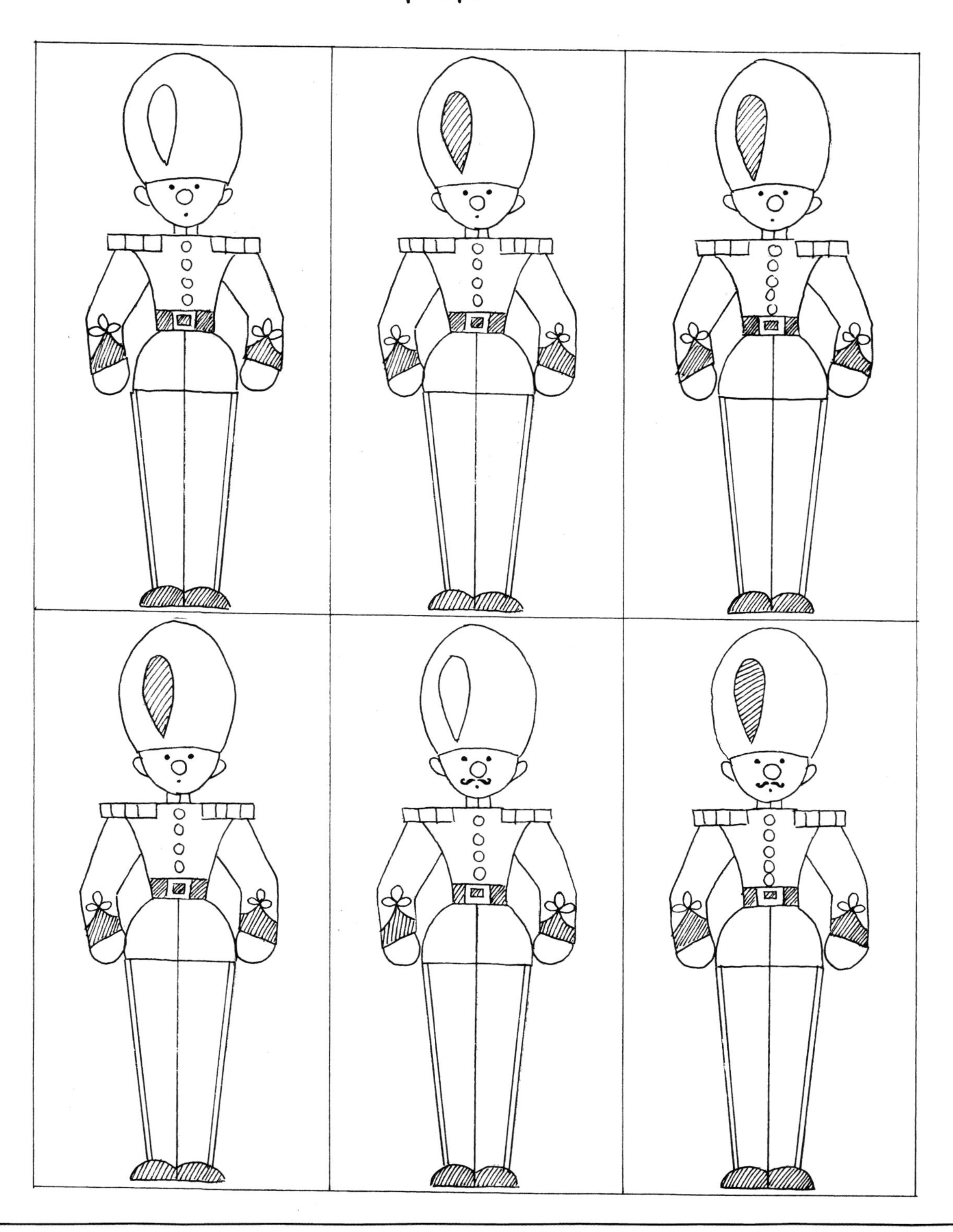

Μέτρησε!

Ποια εικόνα έχει τις περισσότερες σαπουνόφουσκες;

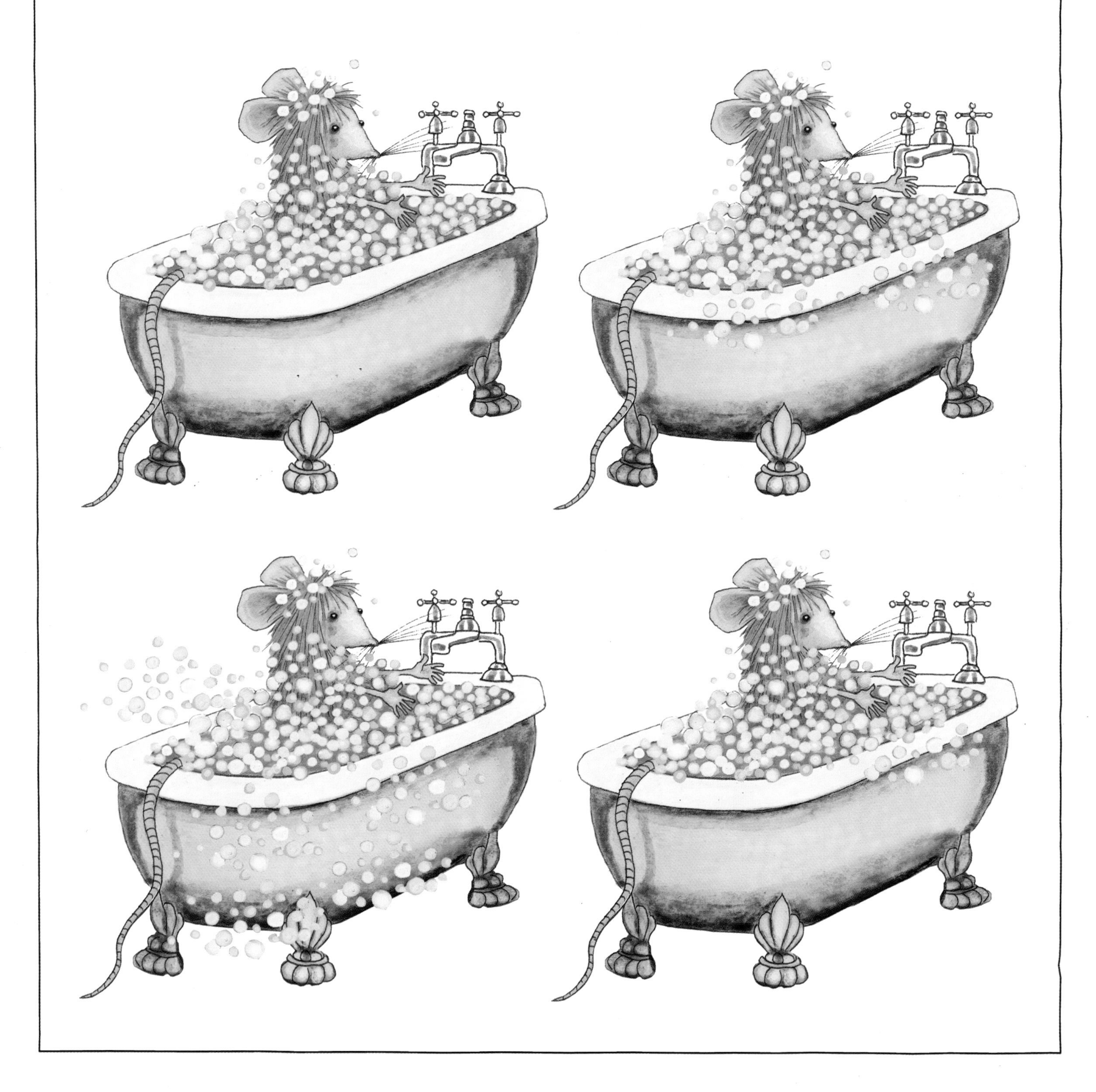

Ζωγράφισε!

Ζωγράφισε ένα καραβάκι στο άδειο μπουκάλι.

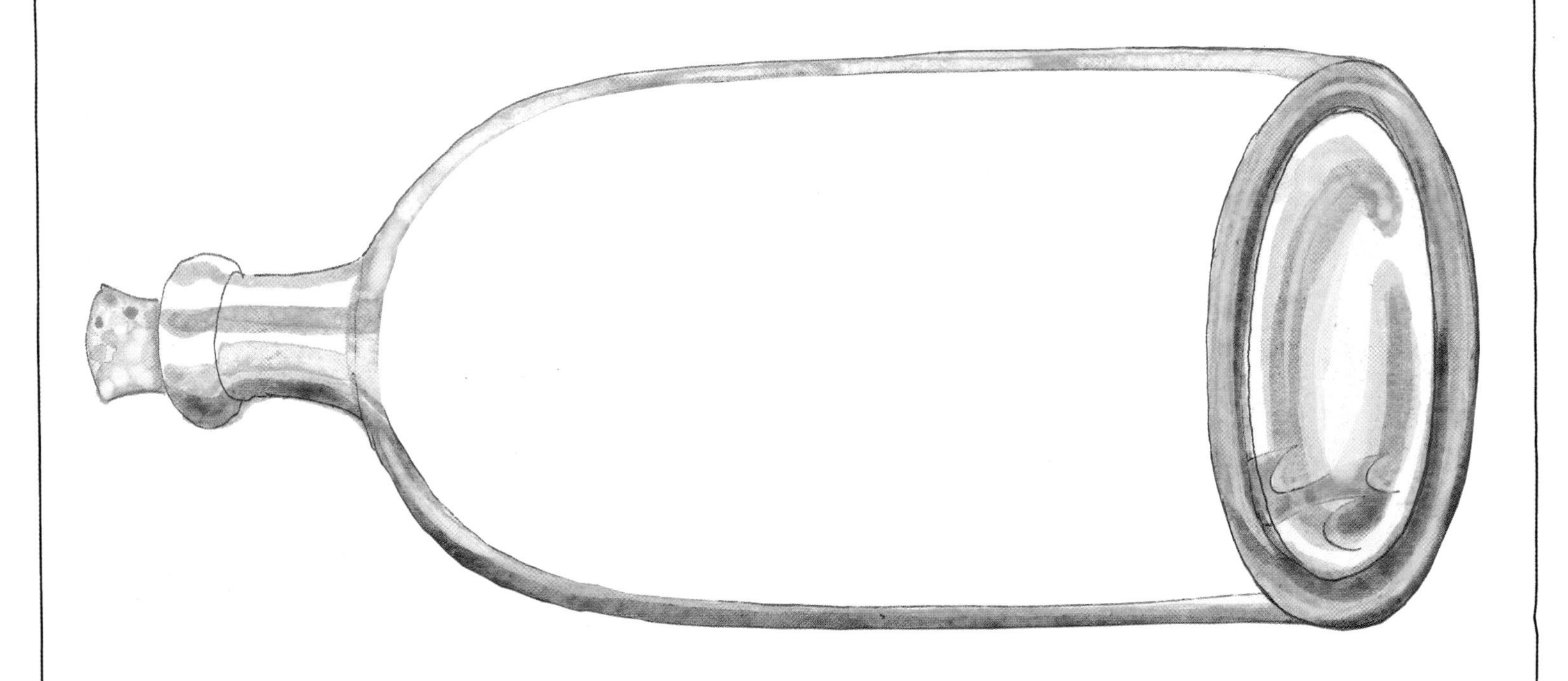

Μέτρησε!

Βρες το αλογάκι που έχει ζυγό αριθμό από βούλες.

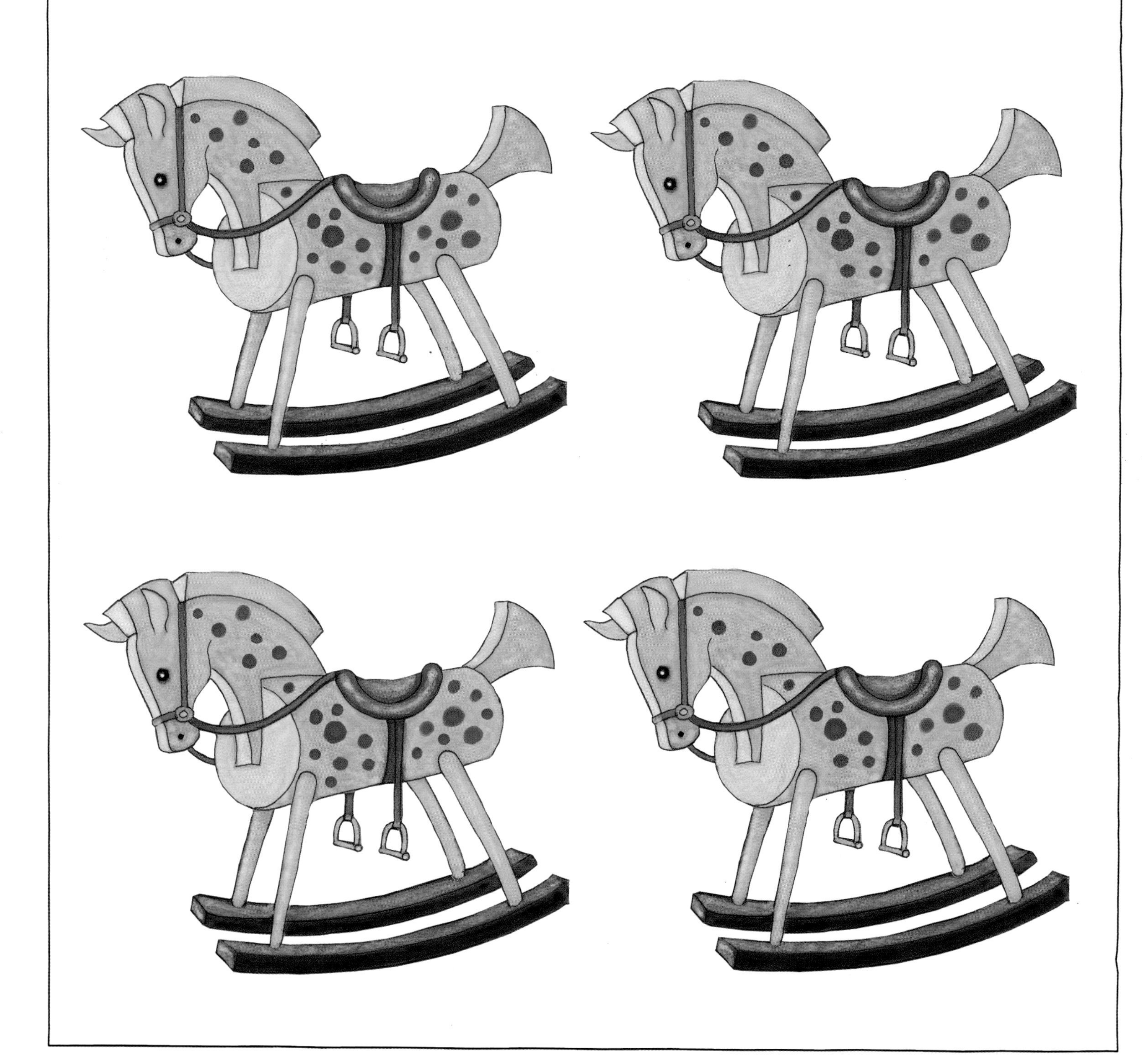

Ζωγράφισε!

Ζωγράφισε εδώ τα πιο ωραία δωράκια
που σου χαρίσανε για τα Χριστούγεννα.

Μου το χάρισε ....

Μου το χάρισε ....

Μου το χάρισε ....

Μου το χάρισε ....

ΤΡΙΒΙΖΑΣ FAN funclub

Η μυστική παρέα του Ευγένιου. Γίνε και εσύ μέλος!

Σου αρέσουν τα παραμύθια του Ευγένιου; Δε χορταίνεις να τα διαβάζεις; Όσο περισσότερα έχεις τόσο περισσότερα θέλεις; Μην αργείς!

Μπες στο www.metaixmio.gr και συμπλήρωσε τη φόρμα εγγραφής για να μαθαίνεις πρώτος/η όλα τα νέα του αγαπημένου σου συγγραφέα, αλλά και για να αποκτήσεις πολλά προνόμια:

- να συμμετέχεις σε πρωτότυπους διαγωνισμούς με τα πιο απίθανα δώρα,
- να λαμβάνεις σελιδοδείκτες, αφίσες και αφισάκια, αυτοκόλλητα και αυτοκολλητάκια, μπλοκ και μπλοκάκια, τετράδια και τετραδιάκια κ.ά., με θέματα εμπνευσμένα από τα βιβλία του Ευγένιου Τριβιζά,
- να εξασφαλίζεις σημαντικές εκπτώσεις σε θεατρικές παραστάσεις, σε προβολές ταινιών, σε μουσεία, πάρκα διασκέδασης ή άλλα μέρη που θέλεις να επισκεφτείς.

Με την εγγραφή σου θα λάβεις και την προσωπική σου κάρτα μέλους.

Φωτοτύπησε τη σελίδα, συμπλήρωσε το παρακάτω Δελτίο και ταχυδρόμησέ το στη διεύθυνση: Εκδόσεις ΜΕΤΑΙΧΜΙΟ, Τ.Θ. 21001, Τ.Κ. 11410 Αθήνα. Μπορείς επίσης να το παραδώσεις σε ένα από τα καταστήματά μας (**1.** ΠΟΛΥΧΩΡΟΣ, Ιπποκράτους 118, Αθήνα **2.** Ασκληπιού 18, Αθήνα **3.** ΟΞΥΓΟΝΟ, Ολύμπου 81, Θεσσαλονίκη) ή να το συμπληρώσεις και να μας το στείλεις ηλεκτρονικά. Θα το βρεις στον δικτυακό μας τόπο www.metaixmio.gr. Στην ίδια ηλεκτρονική διεύθυνση θα βρεις λεπτομέρειες και για τους διαγωνισμούς του ΤΡΙΒΙΖΑΣ FAN FUN CLUB.

ΔΕΛΤΙΟ ΔΩΡΕΑΝ ΕΓΓΡΑΦΗΣ ΣΤΟ ΤΡΙΒΙΖΑΣ FAN funclub

ΟΝΟΜΑΤΕΠΩΝΥΜΟ:..

ΔΙΕΥΘΥΝΣΗ: ΟΔΟΣ.. ΑΡΙΘΜΟΣ............

ΠΟΛΗ.. Τ.Κ............ ΓΕΝΕΘΛΙΑ............................

ΤΗΛΕΦΩΝΟ.. E-MAIL..

Στοιχεία ΚΗΔΕΜΟΝΑ

ΟΝΟΜΑΤΕΠΩΝΥΜΟ.. ΕΠΑΓΓΕΛΜΑ............................

E-MAIL.. ΚΙΝΗΤΟ ΤΗΛΕΦΩΝΟ..................................

Ως κηδεμόνας του παραπάνω ανήλικου αναγνώστη, δίνω τη συγκατάθεσή μου να λαμβάνει ενημερωτικό υλικό από τις εκδόσεις ΜΕΤΑΙΧΜΙΟ σχετικά με νέες εκδόσεις και εκδηλώσεις για παιδιά.

Ημερομηνία ..../......../........ Υπογραφή κηδεμόνα

Τα ανωτέρω δεδομένα προσωπικού χαρακτήρα καταχωρούνται σε αρχείο της εταιρείας μας με σκοπό την ενημέρωσή σας για νέες εκδόσεις, εκδηλώσεις και άλλες δραστηριότητες των εκδόσεων ΜΕΤΑΙΧΜΙΟ. Το αρχείο αυτό δεν παραχωρείται και δεν ανακοινώνεται σε τρίτους (Ν. 2472/1997, Ν. 3471/2006). Για επιβεβαίωση, τροποποίηση ή διαγραφή των παραπάνω στοιχείων μπορείτε να επικοινωνήσετε τηλεφωνικά στο 211 3003500.

Το Νησί των Πυροτεχνημάτων, όπου ζει ο Ευγένιος με τους φίλους του.

Η Αγατούλα του Ευγένιου παίζει με το πρωινό της.

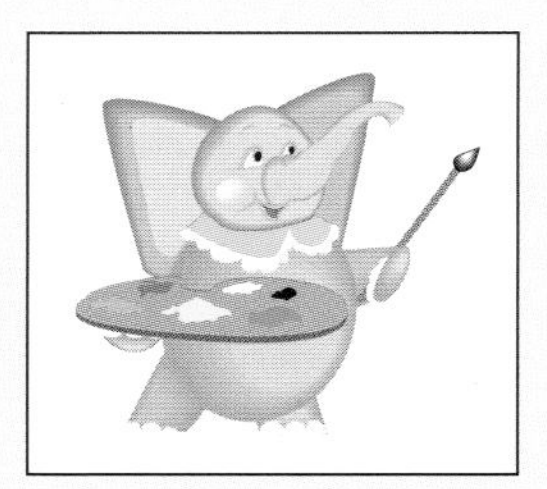

Ο Πουκιπόν, ο μικρός ελέφαντας του Ευγένιου, μαθαίνει να ζωγραφίζει.

Ο φίλος του Ευγένιου, ο Αλέξης Πτωτιστής, τη στιγμή που πέφτει με το αλεξίπτωτό του.

Ο Φρουμέντιος, το γαϊδουράκι του Ευγένιου, που ζει στο δάσος με τις σαπουνόφουσκες.

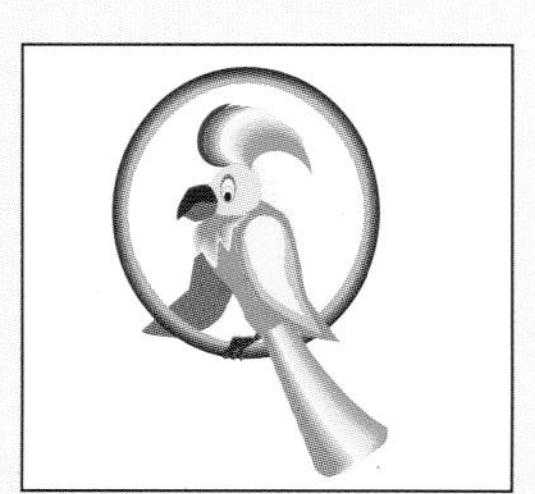

Η Σύνθια, ο παπαγάλος του Ευγένιου, που παραμιλάει στον ύπνο της παραμύθια.

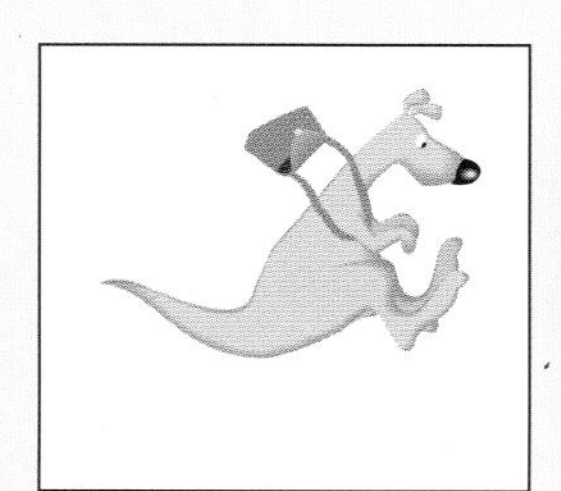

Ο Οράτιος Αοράτιος, το καγκουρό του Ευγένιου, πηγαίνει χαρούμενος στο καγκουροσχολείο.

Ένας από τους εβδομήντα δύο δράκους που έχει σώσει από πρίγκιπες ο Ευγένιος.

Ο κάπτεν Βαρθολομαίος Μπόρφιν, ο φίλος του Ευγένιου.

Ένας από τους πειρατές που ζουν στις θαλασσινές σπηλιές του Νησιού των Πυροτεχνημάτων.

ΧΡΗΣΙΜΕΣ ΠΛΗΡΟΦΟΡΙΕΣ ΓΙΑ ΤΟΝ ΕΥΓΕΝΙΟ

ΦΩΤΟ: Β. ΒΡΕΤΤΟΣ

Στη φωτογραφία βλέπετε τον Ευγένιο με τη μάγισσα Φουφήχτρα, που μια άλλη μάγισσα τη μεταμόρφωσε σε κούκλα.

Ο Ευγένιος Τριβιζάς είναι εξερευνητής, εφευρέτης και ζογκλέρ μελάτων αυγών. Έχει ανακαλύψει το Νησί των Πυροτεχνημάτων, τη Φρουτοπία, το Πιπερού, το Κουτσουλιστάν, την Κουμασιλάνδη, τη Χώρα των Χαμένων Χαρταετών και την Πολιτεία με Όλα τα Χρώματα εκτός από το Ροζ.

Οι γνωστότερες εφευρέσεις του Ευγένιου είναι: ο γαργαλιός (ένα μηχάνημα που σε γαργαλάει όταν είσαι λυπημένος), το ηλεκτρικό ρουφοσκόπιο (ένας συνδυασμός τηλεσκόπιου και ηλεκτρικής σκούπας, με το οποίο όχι μόνο βλέπει κανείς τα αστέρια, αλλά άμα θέλει τα ρουφάει και τα κάνει γιρλάντες), ο φαγώσιμος χαρτοπόλεμος, η μπανιέρα με τις δώδεκα τρύπες, ο ιπτάμενος ανεμόμυλος, η τσουλήθρα με τα σκαλοπάτια, η μελωδική ομπρέλα, το παπιγιόν για νάνους και ο αναδρομικός καθρέφτης (που σε δείχνει όπως ήσουνα πριν από δέκα χρόνια).

Ο Ευγένιος ζει στο Νησί των Πυροτεχνημάτων με τον παπαγάλο του, τη Σύνθια, τον άσπρο του ελέφαντα, τον Πουκιπόν, τη Λιλή, την παρδαλή λεοπάρδαλη, τον Οράτιο Αοράτιο, το αόρατο πράσινο καγκουρό, και άλλους πολλούς γνωστούς και φίλους.

Ο Ευγένιος έχει μία μοναδική συλλογή από κομμάτια παλιών παραμυθιών. Η σπάνια συλλογή του περιλαμβάνει: ένα πούπουλο από το μαξιλάρι που κοιμόταν η πεντάμορφη πριγκιπούλα, το κορδόνι από το δεξί παπούτσι του παπουτσωμένου γάτου, ένα τούβλο απ' το σπίτι που είχαν χτίσει τα τρία γουρουνάκια, τα γυαλιά της γιαγιάς της Κοκκινοσκουφίτσας και το φιτίλι από το λυχνάρι του Αλαντίν.

Άλλα βιβλία που έγραψε

ΜΥΘΙΣΤΟΡΗΜΑΤΑ
- Ο Χιονάνθρωπος και το Κορίτσι ΚΕ
- Το Σεντούκι με τις Πέντε Κλειδαριές ΚΕ
- Οι Πειρατές της Καμινάδας ΨΥ
- Η Ζωγραφιά της Χριστίνας ΨΥ
- Τα Μαγικά Μαξιλάρια ΠΑ
- Ο Πήγασος και το Γαϊδουράκι ΥΤ
- Η Τελευταία Μαύρη Γάτα ΜΧ
- Η Δέσποινα και το Περιστέρι ΑΘ
- Η Δέσποινα και το Περιστέρι ΑΘ ΕΓ
- Ελάτε να Παίξουμε με τη Δέσποινα και το Περιστέρι ΑΘ ΕΓ
- Η Πεταλούδα και ο Αρλεκίνος ΥΕ

ΔΙΗΓΗΜΑΤΑ
- Ο Ταξιδιώτης και η Μαργαρίτα ΠΑ
- Ο Ερωτευμένος Πυροσβέστης (για μεγάλους) ΠΑ

GRAPHIC NOVELS
- Οι Δραπέτες της Σκακιέρας ΚΛ
- Το Παράπονο της Καμήλας ΙΚ

ΘΕΑΤΡΟ
- Το Όνειρο του Σκιάχτρου ΕΣ
- Οι Δραπέτες της Σκακιέρας ΥΕ
- Ο Πεταλουδόσαυρος ΥΕ
- Χίλιες και μία Γάτες ΥΕ
- Ο Πόλεμος της Κουτσουλιάς ΥΕ

ΘΕΑΤΡΟ
ΤΟ ΘΕΑΤΡΟ ΜΕ ΤΗ ΜΙΣΗ ΑΥΛΑΙΑ ΚΣ
- Τα Γουρουνάκια Κουμπαράδες
- Οι Ιππότες της Τηγανητής Πατάτας
- Το Μεγάλο Ταξίδι του Τουρτούρι

ΠΑΡΑΜΥΘΙΑ
- Το Στοχολούλουδο ΑΚ
- Τα Τρία Μικρά Λυκάκια ΜΙ
- Τα Τρία Μικρά Λυκάκια (ποπ απ έκδοση) ΜΙ
- Ένα Χελιδόνι για την Ευρώπη ΥΕ
- Το Λυπημένο Αρκουδάκι ΣΕ
- Όπου Φύγει Φύγει ΙΚ
- Η Πασχαλίτσα με τη Μία Κουκκιδίτσα ΨΥ

ΧΡΙΣΤΟΥΓΕΝΝΙΑΤΙΚΑ / ΠΡΩΤΟΧΡΟΝΙΑΤΙΚΑ / ΑΠΟΚΡΙΑΤΙΚΑ ΠΑΡΑΜΥΘΙΑ
- Οι Πειρατές της Καμινάδας ΨΥ
- Φρικαντέλα, η Μάγισσα που Μισούσε τα Κάλαντα ΚΛ
- Το Ποντικάκι που Ήθελε να Αγγίξει ένα Αστεράκι ΜΧ
- Ο Αϊ-Βασίλης στη Φυλακή με τους 83 Μικρούς Αρουραίους ΜΧ
- Ένα Δέντρο, μια Φορά ΚΛ
- Ένα Ελατάκι για τον Τάκη ΜΧ
- Σαράντα Χρυσές Σερπαντίνες ΥΕ
- Τα Χριστούγεννα της Λούλας Στρουμπουλούλας ΨΥ

ΙΣΤΟΡΙΕΣ ΑΠΟ ΤΟ ΝΗΣΙ ΤΩΝ ΠΥΡΟΤΕΧΝΗΜΑΤΩΝ
ΣΕΙΡΑ ΠΑΡΑΜΥΘΙΩΝ ΚΕ
- Ο Κροκόδειλος που Πήγε στον Οδοντογιατρό
- Το Απίθανο Τσίρκο του Μανόλη
- Η Χώρα χωρίς Γάτες
- Ο Λαίμαργος Τουνελόδρακος
- Ο Ναυαγός Κοκκινοτρίχης
- Ο Ταύρος που Έπαιζε Πίπιζα
- Ο Φωτογράφος Φύρδης Μίγδης
- Το Παπάκι που δεν του Αρέσανε τα Ποδαράκια του
- Ο Ήλιος της Λίζας
- Η Μυρτώ και το Κουνουπάκι
- Ο Συναχωμένος Κόκορας

ΙΣΤΟΡΙΕΣ ΜΕ ΠΡΟΒΟΣΚΙΔΑ
ΣΕΙΡΑ ΠΑΡΑΜΥΘΙΩΝ ΚΕ
(εικόνες: Αλέξης Κυριτσόπουλος)
- Ο Λούκουλος Τρώει Παπαρούνες
- Ο Λούκουλος Τρώει Μπαλόνια
- Ο Λούκουλος Τρώει Πυγολαμπίδες
- Ο Λούκουλος Τρώει Βότσαλα

Η ΧΑΡΑ ΚΑΙ ΤΟ ΓΚΟΥΝΤΟΥΝ
ΣΕΙΡΑ ΠΑΡΑΜΥΘΙΩΝ ΠΑ
(εικόνες: Βαγγέλης Ελευθερίου)
- Το Μυστικό της Μαξιλαροθήκης
- Οι Τρεις Αποκριάτικες Κορδέλες
- Η Μεγάλη Φαγούρα
- Το Ανώνυμο Γράμμα
- Το Βουνό της Τύχης
- Το Πάρτι των Καγκουρό
- Ο Υπέροχος Σκουπιδοντενεκές
- Οι Δώδεκα Ομπρέλες
- Το Γκουντούν Πάει Σχολείο
- Ο Γκουντουνοφάγος Παθαίνει Αμνησία
- Το Κόκκινο Βότσαλο
- Η Μάγισσα με τα Πόμολα

ΤΑ ΜΑΚΡΟΥΛΑ ΜΙΚΡΟΥΛΙΚΑ
ΣΕΙΡΑ ΕΜΜΕΤΡΩΝ ΠΑΡΑΜΥΘΙΩΝ ΚΕ
(εικόνες: Βαγγέλης Ελευθερίου)
- Το Παραπονεμένο Ελεφαντάκι
- Ο Φαλακρός Σκαντζόχοιρος
- Τα Χρωματιστά Κοράκια
- Η Λαίμαργη Φάλαινα
- Ο Θαλασσογιατρός
- Η Πινεζοβροχή
- Ούτε Γάτα ούτε Ζημιά

ΠΑΡΑΜΥΘΙΑ ΝΤΟΡΕΜΥΘΙΑ
ΣΕΙΡΑ ΕΜΜΕΤΡΩΝ ΠΑΡΑΜΥΘΙΩΝ (ΜΧ)
- Ποιος Έκανε Πιπί στον Μισισιπή;
- Όταν Είναι να Φύγει το Τρένο
- Ποτέ μη Γαργαλάς έναν Γορίλλα
- Ένα Φτυάρι στον Άρη
- Η Νύχτα της Μπανανόφλουδας
- Η Πουπού και η Καρλότα
- Ο Αναστάσης και η Ουρά της Στάσης
- Οι Σαράντα Εφιάλτες
- Οι Γιαγιάδες με τα Γιο-Γιο
- Ένα Κουτάβι Νιώθει Μοναξιά
- Το Γαϊδουράκι που Γκάριζε
- Το Φαγκρί και το Σκουμπρί
- Πανικός στη Χώρα της Γεωμετρίας
- Η Καιτούλα η Κοκέτα η Κοτούλα
- Ο Κύριος Ζαχαρίας και η Κυρία Γλυκερία
- Το Νανούρισμα του Μικρού Φακίρη
- Ο Ιπτάμενος Δίσκος
- Ένα Κεράκι για το Ρινοκεράκι
- Αν σου Πέσει ένα Βουβάλι στο Κεφάλι (Το Τραγούδι της Αισιοδοξίας) (ΥΕ)
- Το Μωρό που του Κλέψανε το Μπιμπερό (ΥΕ)

ΕΜΠΡΟΣ ΛΟΙΠΟΝ ΟΛΟΙ ΜΑΖΙ
ΣΕΙΡΑ ΠΑΡΑΜΥΘΙΩΝ (ΜΧ)
- Ο Άβυ το Κουνάβι και η Φιφίτσα η Νυφίτσα (ΥΕ)
- Ο Χάρυ το Μοσχάρι και το Μαγικό Λυχνάρι (ΥΕ)
- Η Κούλα η Κατσικούλα με την Κόκκινη Κουκούλα (ΥΕ)
- Η Ρενάτα η Γάτα με τη Ροζ Ριγέ Γραβάτα (ΥΕ)

Η ΧΑΜΟΓΕΛΑΣΤΗ ΣΕΙΡΑ
ΣΕΙΡΑ ΕΜΜΕΤΡΩΝ ΠΑΡΑΜΥΘΙΩΝ (ΜΙ)
- Ο Μικρός Ερμής
- Η Κόμισσα που Μετακόμιζε (ΥΕ)
- Το Κανίς με το Κανό Αγοράζει Μαϊντανό (ΥΕ)
- Μια Γάτα του Σιάμ Χαμένη στο Χαμάμ (ΥΕ)

ΠΑΡΑΜΥΘΙΑ ΑΠΟ ΤΗ ΧΩΡΑ ΤΩΝ ΧΑΜΕΝΩΝ ΧΑΡΤΑΕΤΩΝ
ΣΕΙΡΑ ΠΑΡΑΜΥΘΙΩΝ (ΚΛ)
- Ο Ιγνάτιος και η Γάτα
- Η Δόνα Τερηδόνα και το Μυστικό της Γαμήλιας Τούρτας
- Το Τηγάνι του Δήμιου
- Οι Χελώνες του Βαρώνου

ΜΠΑΜ, ΜΠΟΥΜ, ΤΑΡΑΤΑΤΖΟΥΜ!
ΣΕΙΡΑ ΑΝΤΙΠΟΛΕΜΙΚΩΝ ΠΑΡΑΜΥΘΙΩΝ (ΜΙ)
- Η Φάλαινα που Τρώει τον Πόλεμο
- Ο Πόλεμος των Ούφρων και των Τζούφρων
- Ο Πόλεμος της Ωμεγαβήτας
- Ο Πόλεμος της Χαμένης Παντόφλας

ΤΑ ΠΑΡΑΠΟΛΥΜΥΘΙΑ
ΣΕΙΡΑ ΠΑΡΑΜΥΘΙΩΝ ΜΕ ΤΗ ΣΥΜΜΕΤΟΧΗ ΤΟΥ ΑΝΑΓΝΩΣΤΗ (ΚΛ)
(εικόνες: Ράνια Βαρβάκη)
- Τα 88 Ντολμαδάκια
- Τα 33 Ροζ Ρουμπίνια
- Οι 66 Εξωγήινοι Ξιφομάχοι (ΥΕ)

ΟΙ ΜΥΣΤΙΚΕΣ ΠΕΡΙΠΕΤΕΙΕΣ ΤΗΣ ΔΑΝΑΗΣ
ΣΕΙΡΑ ΠΑΡΑΜΥΘΙΩΝ ΜΕ ΤΗ ΣΥΜΜΕΤΟΧΗ ΤΟΥ ΑΝΑΓΝΩΣΤΗ (ΜΙ)
- Η Κινέζα Κούκλα
- Τα Μαγικά Μελομακάρονα (ΥΕ)
- Ο Εξαίσιος Ουρανοξύστης (ΥΕ)
- Η Μυστική Νοσοκόμα (ΥΕ)

ΠΡΑΣΙΝΗ ΚΛΩΣΤΗ ΔΕΜΕΝΗ
ΣΕΙΡΑ ΟΙΚΟΛΟΓΙΚΩΝ ΠΑΡΑΜΥΘΙΩΝ (ΜΙ)
- Χίλιες και Μία Ρόδες (ΥΕ)
- Καρέτα-Καρέτα, η Χελώνα με την Πράσινη Ζακέτα (ΥΕ)
- Ο Άνθρωπος που Αγόρασε τον Ουρανό (ΥΕ)
- Ο Χορός των Στρουθοκαμήλων (ΥΕ)

ΦΡΟΥΤΟΠΙΑ – ΤΟ ΠΡΩΤΟ ΤΑΞΙΔΙ
ΣΕΙΡΑ ΚΟΜΙΚΣ ΜΕ ΤΟΝ ΠΙΚΟ ΑΠΙΚΟ (ΜΤ)
(εικόνες: Νίκος Μαρουλάκης)
- Ο Χαμένος Μανάβης
- Οι Τρεις Συνωμότες
- Το Τρομερό Φρουκτήνος
- Τα Σκληρά Καρύδια
- Το Μυστικό Μονοπάτι

ΦΡΟΥΤΟΠΙΑ – ΤΟ ΔΕΥΤΕΡΟ ΤΑΞΙΔΙ
ΣΕΙΡΑ ΚΟΜΙΚΣ ΜΕ ΤΟΝ ΠΙΚΟ ΑΠΙΚΟ (ΜΤ)
(εικόνες: Νίκος Μαρουλάκης)
- Η Ιπτάμενη Σκάφη
- Ο Συναχωμένος Τενόρος
- Ο Ζόρικος Δεσμοφύλακας
- Ο Μανάβης και η Σοπράνο
- Η Επιδρομή των Καραβίδων
- Η Απαγωγή της Μαρουλίτας
- Το Κλεμμένο Ξυπνητήρι
- Η Τελική Αναμέτρηση

ΦΡΟΥΤΟΠΙΑ – ΤΟ ΤΡΙΤΟ ΤΑΞΙΔΙ
ΣΕΙΡΑ ΚΟΜΙΚΣ ΜΕ ΤΟΝ ΠΙΚΟ ΑΠΙΚΟ (ΜΤ)
(εικόνες: Νίκος Μαρουλάκης)
- Τα Σπάνια Καρεκλοπόδαρα
- Το Πικραμύγδαλο και η Γλυκοπατάτα
- Ο Παππούς του Κουρέα
- Ένα Βαρέλι χωρίς Βαρίδια
- Η Ιπτάμενη Σβούρα

Άλλα βιβλία που έγραψε ο Ευγένιος για σας...

- Ο Θανάσιμος Κίνδυνος ❀ Ο Οφθαλμαπατεώνας
- Τα Κολοκύθια με τα Τούμπανα
- Το Μουστάκι του Θάνου ❀ Ο Κυνηγός Ταλέντων
- Η Σκιά του Προδότη ❀ Η Δαχτυλήθρα με το Δηλητήριο
- Η Σκόνη του Φτερνίσματος ❀ Οι Δύο Μασκοφόροι
- Το Σάντουιτς του Τρόμου ❀ Οι Κένταυροι του Κρόνου
- Ήταν Όλοι τους Μανάβηδες ❀ Το Κουτάλι της Γαβάθας
- Ο Άσος των Μεταμφιέσεων ❀ Ο Τρίτος Χρησμός
- Η Γειτονιά με τους Σκουπιδοντενεκέδες
- Η Σφεντόνα και το Μπρίκι ❀ Η Ύπουλη Παγίδα
- Ο Μαύρος Πάνθηρας ❀ Καταδίωξη στο Φεγγαρόφωτο
- Τα Σαράντα Στιλέτα ❀ Η Ανάκριση της Ερωφίλης
- Ζητούνται Διαρρήκτες ❀ Πανικός στην Κουζίνα
- Όσα Φέρνει ο Άνεμος ❀ Παπιγιόν για Φώκιες
- Το Δόντι της Κόμπρας ❀ Στο Καζάνι των Κανίβαλων
- Το Ξύπνημα του Φρουκτήνους ❀ Η Τελευταία Προδοσία
- Το Υπνωτικό Σκονάκι ❀ Οι Σαράντα Σεφ

ΦΡΟΥΤΟΠΙΑ – ΣΥΛΛΕΚΤΙΚΗ ΕΚΔΟΣΗ (ΜΤ)

- Τόμος 1, Ο Χαμένος Μανάβης, Τχ. 1-7
- Τόμος 2, Η Απαγωγή της Μαρουλίτας, Τχ. 8-14
- Τόμος 3, Η Ιπτάμενη Σβούρα, Τχ. 15-20
- Τόμος 4, Η Σκιά του Προδότη, Τχ. 21-26
- Τόμος 5, Το Σάντουιτς του Τρόμου, Τχ. 27-32
- Τόμος 6, Ο Μαύρος Πάνθηρας, Τχ. 33-38
- Τόμος 7, Παπιγιόν για Φώκιες, Τχ. 39-44
- Τόμος 8, Το Δόντι της Κόμπρας, Τχ. 45-50

ΦΡΟΥΤΟΠΙΑ – ΒΙΒΛΙΑ ΔΡΑΣΤΗΡΙΟΤΗΤΩΝ (ΜΤ)

- Έλα κι εσύ στη Φρουτοπία, Τχ. 1
- Έλα κι εσύ στη Φρουτοπία, Τχ. 2

ΑΛΦΑΒΗΤΑΡΙΑ – ΑΡΙΘΜΗΤΑΡΙΑ

- Αλφαβητάρι με Γλωσσοδέτες (ΜΧ)
- Αριθμητάρι με Γλωσσοδέτες (ΜΧ)
- Το Φτερωτό Αριθμητάρι (ΨΥ)

ΟΙ ΠΑΡΕΟΥΛΕΣ ΤΗΣ ΑΛΦΑΒΗΤΑΣ
ΣΕΙΡΑ ΑΛΦΑΒΗΤΑΡΙΩΝ (ΜΧ)
(εικόνες: Ράνια Βαρβάκη)

- Η Παρεούλα της Γαλάζιας Γάτας
- Η Παρεούλα του Ζαφειρένιου Ζαρκαδιού
- Η Παρεούλα του Κόκκινου Κροκόδειλου
- Η Παρεούλα του Πράσινου Παπαγάλου
- Η Παρεούλα του Ροζ Ρινόκερου
- Η Παρεούλα της Χρυσής Χελώνας

ΔΙΑΚΟΠΕΣ ΣΤΟ ΝΗΣΙ ΤΩΝ ΠΥΡΟΤΕΧΝΗΜΑΤΩΝ
ΣΕΙΡΑ ΧΙΟΥΜΟΡΙΣΤΙΚΩΝ ΕΚΠΑΙΔΕΥΤΙΚΩΝ ΒΙΒΛΙΩΝ (ΠΑ)

- Η Λιωμένη Σοκολάτα (Α′ τάξη)
- Ο Γαλαξίας των Λέξεων (Β′ τάξη)
- Οι Τρεις Μυρμηγκοφάγοι (Β′ τάξη)
- Οι Βαλίτσες του Γίγαντα (Γ′ τάξη)
- Η Συμμορία των Σκόρων (Γ′ τάξη)
- Το Αόρατο Καγκουρό (Δ′ τάξη)
- Η Σπανακόπιτα του Τσάρου (Δ′ τάξη)
- Ο Δεκανέας Παραδέκας (Ε′ τάξη)
- Η Κόρη του Φακίρη (Ε′ τάξη)
- Το Κλεμμένο Ηφαίστειο (ΣΤ′ τάξη)
- Ο Χρυσός Χαρτοπόλεμος (ΣΤ′ τάξη)
- Το Μυστικό Ημερολόγιο των Διακοπών μου (για όλες τις τάξεις)

ΤΑ ΠΑΡΑΜΥΘΙΑ ΜΕ ΤΟΥΣ ΑΡΙΘΜΟΥΣ
ΣΕΙΡΑ ΧΙΟΥΜΟΡΙΣΤΙΚΩΝ ΕΚΠΑΙΔΕΥΤΙΚΩΝ ΠΑΡΑΜΥΘΙΩΝ (ΜΙ)

- Φουφήχτρα, η Μάγισσα με την Ηλεκτρική Σκούπα (Μετράμε ως το Δέκα)
- Άρης ο Τσαγκάρης (Πρόσθεση και Αφαίρεση)
- Η Φιφή και η Φωφώ, οι Φαντασμένες Φάλαινες (Πολλαπλασιασμός και Διαίρεση)
- Η Πριγκίπισσα Δυσκολούλα (Σύνολα και Υποσύνολα)

ΔΩΡΑΚΙΑ ΑΠΟ ΜΕΝΑ ΓΙΑ ΣΕΝΑ
ΣΕΙΡΑ ΒΙΒΛΙΩΝ ΓΙΑ ΕΡΩΤΕΥΜΕΝΟΥΣ (ΜΧ)
(εικόνες: Αλέξης Κυριτσόπουλος)

- Δωράκια για τη Γιορτή σου (για κορίτσια)
- Δωράκια για τη Γιορτή σου (για αγόρια)
- Δωράκια για τα Γενέθλιά σου (για κορίτσια)
- Δωράκια για τα Γενέθλιά σου (για αγόρια)

ΕΚΔΟΤΙΚΟΙ ΟΡΓΑΝΙΣΜΟΙ

ΑΘ	ΑΘΗΝΑ 2004	ΜΧ	Μεταίχμιο
ΑΚ	Ακρίτας	ΜΤ	Modern Times
ΕΓ	Ελληνικά Γράμματα	ΠΑ	Πατάκης
ΕΣ	Βιβλιοπωλείο της Εστίας	ΣΕ	Σοροπτιμιστική Ένωση Ελλάδος
ΙΚ	Ίκαρος		
ΚΕ	Κέδρος	ΥΕ	Υπουργείο Εξωτερικών
ΚΛ	Καλέντης	ΥΤ	Υπουργείο Τύπου
ΚΣ	Καστανιώτης	ΨΥ	Ψυχογιός
ΜΙ	Μίνωας	ΥΕ	Υπό έκδοση

Ευγένιος Τριβιζάς

ΧΡΙΣΤΟΥΓΕΝΝΙΑΤΙΚΑ ΒΙΒΛΙΑ

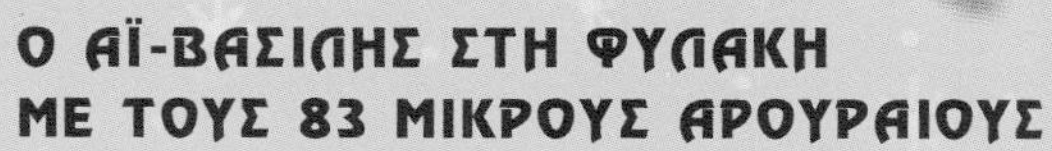

Ο ΑΪ-ΒΑΣΙΛΗΣ ΣΤΗ ΦΥΛΑΚΗ ΜΕ ΤΟΥΣ 83 ΜΙΚΡΟΥΣ ΑΡΟΥΡΑΙΟΥΣ

Ενώ ο Αϊ-Βασίλης πλησιάζει με το έλκηθρό του τη χιονισμένη πολιτεία, ούτε που φαντάζεται τι αναπάντεχες περιπέτειες τον περιμένουν, ούτε που περνάει από το μυαλό του ότι θα καταλήξει αλυσοδεμένος σε μια σκοτεινή φυλακή με 83 περίεργους αρουραίους! Τι θα γίνει τώρα; Ποιος θα μοιράσει στα παιδιά τα δώρα;

Ο Αϊ-Βασίλης, ο αγαπημένος των παιδιών, γίνεται ο ήρωας μιας απολαυστικής ιστορίας γεμάτης περιπέτεια, δράση, απρόοπτα, εκπλήξεις και πολύ πολύ γέλιο. Μέσα από μια χιουμοριστική αφήγηση, πλούσια σε κωμικές σκηνές και προικισμένη με μια λεπτή αίσθηση ειρωνείας, ο συγγραφέας επιχειρεί μια σάτιρα των απόψεων, στάσεων και των συμπεριφορών του μέσου σύγχρονου Νεοέλληνα.

ΔΙΑΔΡΟΜΕΣ

ΕΝΑ ΕΛΑΤΑΚΙ ΓΙΑ ΤΟΝ ΤΑΚΗ

Όταν παραμονές Χριστουγέννων ο μικρός Τάκης κάνει φριχτά παράπονα στη μαμά του για το τεράστιο έλατο που έχει στολίσει στο σαλόνι και που πρέπει να στραβολαιμιάζει για να το κοιτάζει, η μαμά του, που δεν του χαλάει ποτέ χατίρι, του αγοράζει ένα τόσο δα μικρό ελατάκι.
Το ελατάκι αυτό μπορεί να είναι μικρό, αλλά κρύβει ένα μεγάλο μυστικό. Ένα μυστικό που ούτε το υποψιαζόταν κανείς ως τότε.

Ένα μικρό εκδοτικό θαύμα. Γιορτινό, τρυφερό και με την αναγνωρίσιμη γραφή του Ευγένιου Τριβιζά, κυκλοφορεί και λάμπει στα βιβλιοπωλεία το *Ένα ελατάκι για τον Τάκη.*

Η ΝΑΥΤΕΜΠΟΡΙΚΗ

ΕΥΓΕΝΙΟΣ

Παραμύθια που διασκεδάζουν, προβληματίζουν και απελευθερώνουν τη φαντασία μικρών και μεγάλων.

ΚΥΡΙΑΚΑΤΙΚΟΣ ΡΙΖΟΣΠΑΣΤΗΣ

Ο μόνος κίνδυνος από τα Παραμύθια Ντορεμύθια είναι ότι ο Τριβιζάς γίνεται εθιστικός για τα παιδιά. Όσο περισσότερα Ντορεμύθια έχουν, τόσο περισσότερα θέλουν.

ΤΟ ΒΗΜΑ

ΤΡΙΒΙΖΑΣ

ΠΑΡΑΜΥΘΙΑ
ΝΤΟΡΕΜΥΘΙΑ